BREAKFASTLOVE

David Bez

BREAKFAST LOVE

PASIÓN POR LOS DESAYUNOS

fun & food

salamandra

Dedico este libro a mi madre,
a mi mujer y a mi hijo

Título original: *Breakfast Love*
Traducción de Anton Anton

Diseñador y fotógrafo: David Bez

Publicaciones y Ediciones Salamandra, S.A.
Almogàvers, 56, 7º 2ª - 08018 Barcelona - Tel. 93 215 11 99
www.salamandra.info

ISBN: 978-84-16295-05-0
Depósito legal: B-24.164-2015

1ª edición, febrero de 2016
Printed in China

Contenido

Introducción

La necesidad
de desayunar mejor

¿Cuántas veces desayunamos sin pensar acerca de ello con detenimiento?

Ahora, al considerar los desayunos que he tomado a lo largo de la vida, veo que me he limitado a la leche y las galletas hasta los quince, y al capuchino con cruasanes hasta hace un par de años.

Después de haber repensado cómo almorzar en el lugar de trabajo hace unos cuantos años y tras la publicación de mi primer libro, *Salad Love*, consideré que sería importante aplicar los mismos principios y actitud a la que suele considerarse la comida más importante del día. Un buen desayuno nos da fuerzas para afrontar los desafíos que nos depara el resto de la jornada. He hablado con muchos nutricionistas y he leído una gran cantidad de libros y artículos sobre qué debe contener el mejor y más sano de los desayunos. Después de realizar esta investigación, he hecho lo que hago siempre: la he aplicado a mi propia vida y he experimentado conmigo mismo, con mi cuerpo y mi paladar, todos los días durante dos años.

Durante este tiempo he aprendido que la comida que uno ingiere debe ser apetitosa y colorida a fin de que resulte atractiva a la vista y a la imaginación. Ésta es la regla número uno. La regla número dos dice que deben emplearse ingredientes que no estén refinados o que se alejen lo menos posible de su estado natural. Por eso me niego a usar mueslis industriales, yogures de sabores y cereales procesados de forma excesiva. Aunque a veces sí que empleo cereales, entre ellos los copos de maíz, siempre procuro adquirir versiones sin gluten ni azúcar, así como aquellas que cuentan con un elevado contenido de fibra.

Toda la vida he sido reticente a comer fruta... ¡no me pregunten por qué! Es probable que, por la pereza de lavarla o pelarla, haya tendido hacia opciones más sencillas, ya preparadas y basadas en hidratos de carbono o en azúcares. Sin embargo, en mi misión de reeducarme a mí mismo en lo tocante al desayuno, me he obligado a redescubrir las frutas una por una, y ha sido estupendo. Ahora las adoro y me pregunto cómo he podido vivir tanto tiempo sin ellas.

He convertido en mi objetivo sacar a la luz qué es lo que suele considerarse saludable y cuál es la opinión de los nutricionistas más destacados (la cual tal vez cambie dentro de unos años...) para, después, poner un poco de sentido común, o de practicidad si se prefiere, sobre la base de la sensatez y la veracidad y no tanto de las modas.

También decidí ver en qué consisten los desayunos de las distintas culturas del mundo para intentar adaptarlos a mi gusto y cultura propios. Además, tomé la decisión de explorar las hortalizas y los platos salados en el desayuno. Aunque desde mi perspectiva italiana el desayuno ha de ser dulce, me sorprendió descubrir que no sólo los británicos cuentan con una rica tradición de desayunos salados en forma de frituras, sino que en Asia, Sudamérica, África, Alemania y otras partes de Europa existen abundantes ejemplos de éstos.

Otra de mis reglas básicas es la rapidez. No es éste un libro dedicado a los dilatados y suculentos brunches dominicales. Es un libro que trata de los desayunos cotidianos: fáciles y rápidos de preparar en casa o incluso en la oficina.

Aunque hay ingredientes que requieren un trabajo previo (frutos secos, semillas y avena, arroz cocido y algunos ingredientes triturados), un poco de esfuerzo hace que resulte interesante. Normalmente bastará con que les dediquemos unos instantes la noche anterior para que, al despertarnos por la mañana, podamos montarlo todo en el tazón. Lo cierto es que una gran cantidad de los productos de desayuno que se venden en supermercados contienen mucho azúcar y están procesados en exceso.

Por lo general siempre he formulado las mismas preguntas sobre mis comidas, y el desayuno no es ninguna excepción. ¿Está bueno? ¿Es saludable (desde el sentido común)? ¿Me hace sentir bien? ¿Es fácil de preparar? ¿Resulta satisfactorio? ¿Es ligero? ¿Me hace sentir pesado o me da energía y me alimenta durante la mañana? ¿Tiene buen aspecto?

Espero haber respondido a la mayoría de las preguntas.

Disfrutad del viaje.

1. Frutas u hortalizas

2. Frutas u hortalizas

3. Cereales

4. Proteínas

5. Condimentos

6. «Aderezo»

Anatomía de un desayuno

Al componer los desayunos, los segmento en varias capas diferenciadas: frutas y/u hortalizas, cereales, proteínas, condimentos adicionales y algún tipo de líquido o «aderezo». Aunque éstos son los ingredientes principales, como verás suelo alterar la fórmula. En realidad, depende de ti elegir qué quieres añadir y disfrutar de lo que comas.

Frutas y hortalizas

La parte más importante de mis desayunos son las frutas y las hortalizas. Al menos dos porciones de fruta u hortaliza —que no de cereales— son la base de mis tazones de desayuno. Esta opción supone un gran cambio respecto a los desayunos convencionales, en los que a menudo se ponen un par de fresas sobre un gran tazón de gachas. Más bien, he optado por una gran cantidad de frutas y hortalizas acompañada de algo de proteína y cereal.

Cereales, granos y semillas

Aunque algunos cereales como la avena, los copos de maíz y la quinoa siguen formando parte de mi dieta, lo cierto es que lo hacen en una proporción mucho menor que en el pasado. Uso en torno a ⅓ de taza de granos sin gluten ni azúcar (cuando resulta posible).

Proteínas

En función del gusto y los requisitos de la dieta que se lleve, tal vez quiera añadirse al tazón alguna fuente de proteínas, como jamón, ternera o pollo; huevos, pescado, yogur, queso o tofu; quinoa, frutos secos o semillas.

Condimentos

Los condimentos adicionales pueden realzar los sabores y colores del tazón del desayuno. Puedes probar con hierbas frescas, flores comestibles, polen de abejas y frutas deshidratadas (aunque nunca más de una cucharadita).

«Aderezo»

Al final, para rematarlo todo, está el «aderezo», que es la parte cremosa o líquida del desayuno. Éste puede ir desde zumos hasta leches de origen animal o vegetal.

Se da de este modo un buen equilibrio entre todos los ingredientes, entre su dulzura y acidez, entre el tamaño de las piezas, la jugosidad de las frutas y las hortalizas, entre la textura crujiente de los cereales y los frutos secos y la suavidad y la riqueza del aderezo.

1. Frutas

Las frutas y las hortalizas deberían componer más de la mitad del desayuno, y no sólo porque deban consumirse al menos cinco raciones de estos alimentos al día para obtener una buena variedad de vitaminas, minerales y fibra, sino porque son sabrosas, sustanciosas y rezuman color.

Prefiero la fruta en trozos grandes en lugar de picarla mucho, ya que así puedo percibir los distintos ingredientes adecuadamente. Son motivos parecidos los que me llevan a preferir las frutas crudas, ya que así tienen un sabor más intenso y sus valores nutricionales son más elevados. Sin embargo, a veces sí que me gusta añadir frutas deshidratadas, aunque de esto hablaré con más detenimiento en la página 23.

La primera mitad del libro la compone el capítulo dedicado a los desayunos dulces, en el que las frutas son las heroínas, aunque también uso algunas en la parte que trata de los desayunos salados. Cada una de las deliciosas frutas que enumero a continuación cuenta con al menos cuatro recetas: aguacate, albaricoque, alquequenje, arándano, caqui, cereza, ciruela, clementina, coco, frambuesa, fresa, granada, higo, kiwi, lichi, mango, manzana, maracuyá, melón, mora, naranja, nectarina, papaya, pera, piña, plátano, pomelo, sandía y uva.

A cada una de estas frutas le he dedicado una concienzuda exploración diaria durante al menos una semana, para asegurarme así de encontrar las mejores combinaciones de sabores. Como resultado, he vuelto a enamorarme de las frutas. Son dulces, jugosas y sabrosas... ¡y me sientan muy bien!

2. Hortalizas

¿Hortalizas para desayunar? ¿Y por qué no? ¿Sabías que los turcos desayunan aceitunas, tomates y pepino? En México a veces toman aguacate, tomates y chiles junto con huevos. Así las cosas, me pregunté por qué no emplear pepinos, pimientos morrones crudos o asados, zanahorias, calabacines crudos o asados, judías verdes al vapor o berenjenas y calabaza almizclera asadas en los desayunos.

Huelga decir que algunas de estas hortalizas deben cocinarse la noche anterior, pero es algo tan sencillo como asar una más de las que se vayan a cenar o hacer al vapor algunas judías mientras se prepara el almuerzo del día siguiente. Personalmente, a mí me gusta asar una gran cantidad de hortalizas y guardarlas en un recipiente hermético en el frigorífico durante un par de días, listas para añadirlas al desayuno.

3. Cereales

De joven, siempre tenía que desayunar trigo en alguna de sus formas, con leche, por supuesto. Cruasanes, galletas o cualquier tipo de pan, habitualmente tostado; de vacaciones, a veces comía tostadas con mermelada y mantequilla.

He aprendido a moderar la ingesta de carbohidratos y de azúcar a fin de controlar los picos de glucosa. He intentado reducir el consumo de carbohidratos sin dejar de tomar los suficientes para mantenerme activo; no menos importante es la selección que he hecho en cuanto a la variedad y calidad de dichos carbohidratos para sacarles el máximo provecho. Por lo tanto, ya no empleo azúcar ni harina blancos, pero sí, entre otros alimentos, maíz, arroz, trigo sarraceno, amaranto, quinoa, avena, cebada y granos integrales. Siempre compruebo el contenido de azúcar de los cereales comerciales para desayunar, y si uno busca lo suficiente, siempre encuentra alternativas sin azúcar para los copos de maíz o para el salvado, e incluso versiones sin azúcares refinados de algunos productos como el muesli tradicional o el crudo.

Parece que el tazón de gachas, junto con frituras y alubias sobre una tostada, es un clásico de las mañanas británicas. Aunque nunca me han entusiasmado las gachas, he aprendido a disfrutarlas y a usarlas. La regla es sencilla: 1 parte de avena por 2 de líquido (que puede ser leche de origen animal, de almendras o agua). Después, se coloca la mezcla en una cacerola a fuego lento y se cuece, removiendo de vez en cuando, durante 8 minutos o hasta que espese (las gachas preparadas con amaranto o trigo sarraceno deben cocer durante 15 minutos; las de quinoa, 20, y las de arroz, 30). Para animarlas un poco, a veces me gusta darles un toque de especias. Por lo general, no tomo más de ⅓ de taza de gachas, ya que prefiero que las auténticas protagonistas del desayuno sean las frutas.

Avena remojada

Al dejar la avena en remojo durante toda la noche, ésta se vuelve mucho más digerible y nutritiva, ya que las toxinas se descomponen pero sigue estando cruda. Lo que más disfruto al desayunar un tazón de avena remojada es que me deja saciado hasta la hora del almuerzo. Aunque no supone ningún esfuerzo, sí que hay que acordarse de poner la avena en remojo antes de irse a la cama. A mí me gusta usar leche de almendras, pero hay otras opciones, como el yogur y el zumo de naranja o manzana. La regla es sencilla: 1 parte de avena por 2 de líquido. A veces pongo algunas especias para darles un toque; basta con, por ejemplo, 1 cucharadita de cacao en polvo o de canela, maca, asaí, lúcuma o cúrcuma secos molidos.

Muesli

El muesli suele ser una mezcla de cereales, frutas deshidratadas, frutos secos y semillas horneados junto con un edulcorante y aceite. Cada persona le da un toque distinto cambiando los ingredientes según lo que tiene a mano.

La mayoría de los mueslis comerciales están elaborados con aceites baratos o refinados (de girasol o palma) y edulcorantes baratos o refinados (como el azúcar blanco o el sirope dorado). La única forma de consumir un muesli que sea fiable de verdad pasa por prepararlo con tus propias manos en tu cocina para así controlar el contenido de azúcares y el sabor.

Lo cierto es que no me entusiasman los mueslis que tienen muchos cereales, frutas, frutos secos y semillas distintos, ya que me gusta poder ver qué estoy comiendo e identificar los diferentes sabores. Por ello, la combinación perfecta para mí es la de un solo cereal, una sola fruta deshidratada, un solo fruto seco o semilla y tal vez una especia, pero no todo el mundo tiene por qué ser tan minimalista como yo. Y, siempre que puedo, prefiero emplear edulcorantes naturales. Aunque la miel es buena, al hornearla pierde todas sus propiedades antibacterianas.

También me gusta usar «cereales» como el trigo sarraceno o la quinoa (en realidad, ambos son pseudocereales), pero para poder hornearlos, deben haber pasado la noche anterior en remojo. Como edulcorante, me decanto por el zumo de piña o de manzana (a veces incluso de zanahoria o de remolacha), y en cuanto al aceite, el de coco es mi predilecto. He aquí mi receta favorita: precalienta el horno a 160 °C; en una bandeja antiadherente de horno, mezcla 1 taza de copos de avena, ½ taza de zumo de fruta, 1 cucharada de semillas o frutos secos (nueces, avellanas, anacardos o pipas de girasol o de calabaza), 1 cucharada de fruta deshidratada (coco en escamas, orejones de albaricoque, dátiles, pasas, mango, piña o bayas de goji), 1 cucharada de aceite de coco y 1 cucharada de especias (página 18); extiéndelo todo para que forme una única capa y hornéalo durante al menos 30 minutos, removiendo de vez en cuando, hasta que se dore.

4. Proteínas

Las proteínas deben formar parte del desayuno. No cabe duda de que ya sabes que pueden obtenerse de una gran variedad de alimentos, y no sólo de la carne y el pescado.

De los frutos secos a los yogures, de los huevos al queso, del jamón al pescado, existen muchas formas de satisfacer la necesidad de ingesta de proteínas a primera hora del día. Éstas sacian y dan energía para toda la mañana. Aunque es evidente que los frutos secos y las semillas hacen de forma natural una estupenda pareja con las frutas, me gusta experimentar con el queso y las carnes saladas como el jamón para combinarlos con dichas frutas. (A veces añado queso en las alternativas vegetarianas, ya que hay vegetarianos que optan por consumirlo y porque cada vez existen más quesos sin cuajo, pero puedes sustituirlo si lo consideras oportuno.) A pesar de que el pescado y las demás carnes casi siempre sirven para elaborar desayunos salados, prepárate para un par de sorpresas. Además del queso, entre las legumbres hay otras fuentes proteínicas saladas, como las lentejas, los garbanzos, el hummus y las alubias.

Durante mi investigación he descubierto que el ingrediente que más se repite en todos los desayunos del mundo es el huevo, tanto en Inglaterra como en Estados Unidos, España, Japón, Francia, Brasil, Egipto, México, Alemania, Israel o Corea. Así, en caso de duda, añade al tazón del desayuno una tortilla o un huevo escalfado, frito, duro o pasado por agua.

5. Condimentos

He aquí los ingredientes herbáceos y dulces de los que sólo hacen falta una o dos cucharadas para animar de verdad el desayuno. A mí me gustan las frutas deshidratadas, como los orejones de albaricoque, los dátiles, las pasas, las ciruelas pasas, los arándanos, el coco, el mango, la piña, las moras y las bayas de goji. Aunque no es una fruta, he incluido el polen de abejas en esta categoría, ya que realza el sabor dulce del desayuno. No pongo las frutas deshidratadas en la misma categoría que las frescas porque el contenido de azúcar (y el sabor) de las primeras es tan intenso que basta con añadir una cucharadita.

En los desayunos salados, un puñado de hierbas frescas logra una nota aromática. Entre mis preferidas se encuentran la albahaca, el cebollino, el cilantro, el eneldo, la hierbabuena, el orégano, el perejil, el romero, la salvia, el estragón y el tomillo. ¡La hierbabuena y el estragón quedan bien incluso en las recetas dulces!

6. «Aderezo»

Es mucho lo que se logra con un poco de «aderezo» en el tazón a la hora de hacer que todos los ingredientes combinen. Sirve para completar el desayuno; sin él, el tazón resultaría seco, deslavazado y poco alegre, casi incomestible en realidad. Ni siquiera la leche hace que el desayuno resalte demasiado, así que he probado con todo tipo de alternativas.

Los «aderezos» deben tener un equilibrio entre la dulce suculencia (del aceite o los frutos secos), la acidez (del limón) y el toque especiado (del jengibre, el cacao, la canela, el cardamomo, la cúrcuma, la maca e incluso la sal o el chile), y deberían resultar algo cremoso y no demasiado aguado e insulso. El yogur natural es el candidato perfecto. Nunca uso yogures de sabores, que suelen contener mucho azúcar, pero sí añado algunos ingredientes que den sabor e incluso he intentado crear mis propias alternativas al yogur. En la actualidad existe una gran cantidad de yogures veganos, desde los de soja (que no son mis favoritos: no me gusta el sabor y, además, la soja sigue siendo un ingrediente controvertido) hasta los de leche de coco. En cuanto a las cremas veganas, pueden encontrarse desde las de avena hasta las de almendra, aunque también puedes preparar tu propia versión (página 29).

Si tu tazón del desayuno ya cuenta con gachas o avena remojada, no hace falta incorporarle más líquido.

En el capítulo dedicado a los desayunos salados, casi siempre me limito a un chorrito de aceite para aderezar, aunque de vez en cuando me pongo un poco más atrevido y uso hummus o puré de aguacate (página 27).

Puré de plátano y limón

Es un peculiar sustitutivo crudívoro del yogur clásico, y me encanta. Se trata de una auténtica bomba de nutrientes.

Para prepararlo, basta con triturar 1 plátano junto con el zumo de ½ limón. Si quieres, puedes darle un toque de intensidad con 1 cucharadita de alguna especia molida, como jengibre o cúrcuma. Puedes usar zumo de naranja o pomelo en lugar del de limón, pero evita los zumos dulces, ya que el plátano ya es muy dulce por sí mismo. Muy de vez en cuando, empleo leche de coco o de almendras.

Puré de aguacate

Esta alternativa al yogur, que es mi propia versión del guacamole, va mejor con los desayunos salados. También queda bien a modo de «aderezo» cremoso, pero, a diferencia del guacamole, no cuenta con ningún ingrediente que le aporte sabor, como ajo, cebolla, chiles o sal.

Para prepararlo, basta con triturar 1 aguacate maduro junto con el zumo de ½ limón. Puede sustituirse el zumo de limón por el de naranja o manzana. Si quieres, le puedes dar un toque de intensidad con 1 cucharadita de alguna especia molida, tal como el jengibre, la cúrcuma e incluso el cacao en polvo (que queda muy bien con zumo de naranja para los desayunos dulces). Si quieres que sea más dulce, puedes añadirle 1 cucharada de miel (a ser posible, cruda).

«Yogures» y «cremas» de frutos secos

Llevo mucho tiempo buscando una alternativa crudívora al yogur elaborado con leche de origen animal. Aunque el yogur de leche de coco que venden en los supermercados es estupendo, al final he acabado encontrando un ganador: resulta que los frutos secos y las semillas son la alternativa crudívora perfecta a los lácteos cuando se trata de proteínas. Basta con triturar 1 taza de frutos secos o semillas, 1 taza de agua y un chorrito de zumo de limón para obtener un nuevo tipo de yogur. Los frutos secos se trituran mejor si se dejan a remojo en agua durante toda la noche. La mejor textura es la que se logra con los anacardos, que generan una crema dulce y de consistencia untuosa: son sencillamente perfectos.

Si quieres dar sabor a tus yogures caseros, añade un puñado de fruta fresca y tal vez 1 cucharadita de miel (a ser posible, cruda) en la batidora. A mí me han dado buenos resultados los arándanos, las fresas, la piña, el mango, los higos, los albaricoques y las nectarinas.

También puedes ser creativo y preparar una crema más densa, similar a un postre, con sólo sustituir el zumo de limón por especias y miel. Para ello, hay que triturar 1 taza de frutos secos o semillas, 1 taza de agua, 1 cucharadita de especias (cacao en polvo, jengibre molido, canela molida, lavanda o extracto de vainilla) y 1 cucharadita de miel (a ser posible, cruda).

Desayunar mejor

Durante los últimos dos años me he dedicado a poner a prueba los límites de lo que es una buena comida matutina. Como era de esperar, he tenido que desechar muchos de mis experimentos porque las combinaciones de sabores resultaban poco satisfactorias o las proporciones nada acertadas. Sin embargo, me alegra mucho haber llevado a cabo esta investigación, ya que he dado con un sinfín de magníficos descubrimientos y he encontrado nuevas formas de cuidarme. Las hortalizas me gustan mucho más ahora que antes, pero la auténtica revelación ha sido que me encanta la fruta. Ácida, dulce, suculenta, cremosa, sabrosa, vibrante, fresca y nutritiva, la fruta es el regalo por excelencia de la naturaleza, la quintaesencia de la comida perfecta.

Mis ganas de tomar azúcar han ido menguando poco a poco, y ahora, cuando se me antoja consumirlo, me apetecen más los azúcares naturales que el blanco refinado, que se digiere mucho peor y engorda más. Tampoco digo que tomar estos desayunos vaya a ayudarte a perder peso —no puedo prometer algo así—, pero es que yo no emprendí este viaje con la idea de adelgazarme; de hecho, ya ni siquiera tengo báscula en el cuarto de baño. De lo que estoy seguro es de que he disfrutado mucho de todos estos desayunos —las texturas, los colores y los sabores— y de lo valioso que ha sido comprender qué le sienta bien o mal a mi cuerpo a primera hora de la mañana. Ahora sé preparar los ingredientes de la forma más natural, saludable y sabrosa posible.

En mi opinión, la salud empieza en uno mismo, en la forma en la que sentimos y entendemos la comida. La actitud lo es todo. A su vez, los nutrientes que se encuentran en la comida que consumimos afectan a nuestro estado de ánimo y a nuestro bienestar. Todo está relacionado. Si tomamos comida alegre, hermosa, saludable y nutritiva, es más probable que estemos alegres, saludables, hermosos y satisfechos; estaremos contentos y más fuertes.

Ahora mismo me siento nutrido y alimentado. Y no me sentía así durante los años en los que desayunaba pasteles y dulces todas las mañanas; mis niveles de azúcar en sangre solían dispararse con frecuencia y tenía que saciar la necesidad de azúcares a lo largo de todo el día, desde por la mañana hasta última hora de la noche.

Cuando me propuse a mí mismo el reto del desayuno, también comencé a hacer más ejercicio, sobre todo ciclismo. Al desengancharme del azúcar blanco me hice más activo y menos propenso a la pereza. Como ya he dicho antes, en mi cuerpo y mi mente todo está relacionado.

Escribí *Breakfast Love* para inspirar a los lectores a iniciar un nuevo viaje hacia formas de comer y de vivir mejores, empezando por la primera y más importante comida del día.

Cuidaos.

Dulce

Fresas, manzana, semillas de chía y de amapola

INGREDIENTES

½ cdta. de semillas de chía remojadas durante toda la noche
   en ⅓ de taza de leche de almendras
un puñado de fresas troceadas
1 manzana troceada
1 cdta. de semillas de amapola

ALTERNATIVA VEGETARIANA

Sustituir las semillas de chía remojadas por gachas clásicas preparadas con leche (de origen animal)

Albaricoques, arándanos, avena y semillas de sésamo

INGREDIENTES

⅓ de taza de avena remojada durante toda la noche
  en ⅓ de taza de leche de almendras
2 albaricoques troceados
un puñado de arándanos
1 cda. de semillas de sésamo

ALTERNATIVA VEGETARIANA SALADA

Añadir 30 g de queso de cabra y sustituir la avena remojada por gachas (con agua)

Fresas, maracuyá, cereal y anacardos

INGREDIENTES

un puñado de copos de cereales sin gluten
un puñado de fresas troceadas
⅓ de taza de yogur de anacardos con fresas (página 29)
un puñado de anacardos
las semillas de 1 maracuyá

ALTERNATIVA VEGETARIANA

Sustituir el yogur de anacardos por yogur de origen animal con fresas

Cerezas, nectarina, gachas y semillas de cáñamo

INGREDIENTES

⅓ de taza de gachas preparadas con leche de arroz
   (página 16)
1 nectarina en medias lunas
un puñado de cerezas sin hueso partidas por la mitad
2 cdas. de yogur natural
1 cda. de semillas de cáñamo peladas

ALTERNATIVA VEGANA

Sustituir el yogur natural por yogur de leche de coco o yogur de anacardos (página 29)

Fresas, piña, trigo sarraceno y yogur

INGREDIENTES

⅓ de taza de yogur natural
1 rodaja pequeña de piña troceada
un puñado de fresas troceadas
50 g (⅓ de taza) de trigo sarraceno cocido
1 cda. de pipas de calabaza
un puñado de hierbabuena fresca picada

ALTERNATIVA VEGANA
Sustituir el yogur por crema de almendras (página 29) o leche de coco

Cerezas, plátano, gachas de trigo sarraceno y almendras

INGREDIENTES

⅓ de taza de gachas de trigo sarraceno preparadas
    con leche de almendras (página 16)
1 plátano troceado
un puñado de cerezas sin hueso partidas por la mitad
2 cdas. de almendras

ALTERNATIVA VEGETARIANA

Sustituir la leche de almendras por leche de origen animal

Fresas, plátano, copos de maíz y avellanas

INGREDIENTES

un puñado de copos de maíz
un puñado de fresas troceadas
1 plátano en rodajas
un puñado de avellanas
⅓ de taza de leche

ALTERNATIVA VEGANA

Sustituir la leche de origen animal por leche de almendras

Kiwi, fresas, avena y almendras

INGREDIENTES

⅓ de taza de avena remojada durante toda la noche
   en ⅓ de taza de zumo de manzana
un puñado de fresas troceadas
1 kiwi troceado
1 ½ cdas. de almendras troceadas

ALTERNATIVA VEGETARIANA

Añadir ⅓ de taza
de yogur natural

Frambuesas, gachas de quinoa, albaricoques y anacardos

INGREDIENTES

⅓ de taza de gachas de quinoa preparadas con leche
    de almendras (página 16)
2 albaricoques pequeños troceados
un puñado de frambuesas
un puñado de anacardos

ALTERNATIVA VEGETARIANA SALADA
Sustituir los anacardos
por 50 g de queso de
cabra o de requesón

Nectarina, fresas, plátano y avellanas

INGREDIENTES

puré de plátano y limón (página 26)
1 nectarina troceada
un puñado de fresas troceadas
un puñado de avellanas molidas en un robot de cocina

ALTERNATIVA VEGETARIANA

Añadir 2 cdas. de nata fresca *(crème fraîche)*

Fresas, pera, avena y pistachos

INGREDIENTES

⅓ de taza de avena remojada durante toda la noche
    en ⅓ de taza de leche de almendras
1 pera pequeña troceada
un puñado de fresas troceadas
1 cda. de pistachos
flores de pensamiento comestibles (opcional)

ALTERNATIVA VEGETARIANA

Sustituir la leche de almendras por leche de origen animal

VEGETARIANA

Grosellas negras, clementina, copos de salvado y nueces

INGREDIENTES

⅓ de taza de copos de salvado
2 cdas. de yogur natural
1 clementina en gajos
un puñado de grosellas negras
un puñado de nueces troceadas
1 cda. de bayas de goji remojadas en agua durante unos minutos

ALTERNATIVA VEGANA

Sustituir el yogur natural por crema de almendras (página 29) o yogur de leche de coco

VEGANA

Arándanos, fresas, cereales y semillas de cáñamo

INGREDIENTES

½ taza de copos de cereales sin gluten
⅓ de taza de leche de almendras
un puñado de fresas troceadas
un puñado de arándanos
1 cda. de semillas de cáñamo peladas

ALTERNATIVA VEGETARIANA

Sustituir la leche de almendras por leche o yogur natural de origen animal

Fresas, cerezas, avena y piñones

INGREDIENTES

2 cdas. de avena remojada durante toda la noche
     en 2 cdas. de leche de coco
un puñado de cerezas sin hueso partidas por la mitad
un puñado de fresas troceadas
2 cdas. de piñones

ALTERNATIVA VEGETARIANA

Sustituir la leche de coco por yogur natural

Cerezas, pomelo rojo, copos de salvado y pistachos

INGREDIENTES

⅓ de taza de copos de salvado
un puñado de cerezas sin hueso partidas por la mitad
½ pomelo rojo troceado y el zumo que salga
2 cdas. de pistachos

Fresas, albaricoques, cuscús y piñones

INGREDIENTES

50 g (⅓ de taza) de cuscús cocido
2 albaricoques pequeños troceados
un puñado de fresas troceadas
1 cda. de piñones
un puñado de hierbabuena fresca
1 flor de caléndula comestible (opcional)

Cerezas, frambuesas, quinoa y semillas de sésamo

INGREDIENTES

⅓ de taza de quinoa tostada
un puñado de cerezas sin hueso partidas por la mitad
un puñado de frambuesas
1 cda. de semillas de sésamo negro
⅓ de taza de crema de almendras (página 29)
1 cdta. de almendras fileteadas

ALTERNATIVA VEGETARIANA

Sustituir la crema de almendras por leche o nata líquida

Cerezas, albaricoques, cereales y semillas de chía

INGREDIENTES

1 cda. de copos de cereales sin gluten
2 cdas. de leche de almendras
un puñado de cerezas sin hueso partidas por la mitad
2 albaricoques troceados
1 cdta. de semillas de chía

ALTERNATIVA VEGETARIANA

Sustituir la leche de almendras por yogur natural

Frambuesas, nectarina, gachas y semillas de sésamo

INGREDIENTES

⅓ de taza de gachas de amaranto preparadas
    con agua (página 16)
1 nectarina troceada
un puñado de frambuesas
1 cdta. de semillas de sésamo negro

ALTERNATIVA OMNÍVORA SALADA
Añadir 30 g de lomo
curado o bresaola

Albaricoques, nectarina, avena y semillas de cáñamo

INGREDIENTES

1 cda. de avena remojada durante toda la noche
   en 3 cdas. de yogur natural
2 albaricoques troceados
1 nectarina troceada
1 cda. de yogur natural
1 cda. de semillas de cáñamo peladas

ALTERNATIVA CRUDÍVORA

Sustituir el yogur natural por crema de anacardos (página 29)

VEGETARIANA

Frambuesas, grosellas negras, pan de centeno y pistachos

INGREDIENTES

1 rebanada de pan de centeno cortada en tiras
un puñado de frambuesas
un puñado de grosellas negras
2 cdas. de yogur natural
1 cda. de pistachos

ALTERNATIVA VEGETARIANA SALADA

Sustituir el yogur natural por queso fresco, requesón o, incluso, queso de cabra

Grosellas negras, kiwi, copos de maíz y semillas de cáñamo

INGREDIENTES

⅓ de taza de copos de maíz
⅓ de taza de leche de almendras
un puñado de grosellas negras
1 kiwi troceado
1 cda. de semillas de cáñamo peladas

Mango, frambuesas, cereales y yogur

INGREDIENTES

⅓ de taza de copos de cereales
un puñado de frambuesas
⅓ de mango troceado
2 cdas. de yogur natural
1 cdta. de semillas de amapola

ALTERNATIVA VEGANA

Sustituir el yogur natural por yogur de leche de coco o crema de anacardos
(página 29)

Grosellas negras, papaya, pan de centeno y anacardos

INGREDIENTES

½ papaya sin pepitas troceada
un puñado de grosellas negras
1 rebanada de pan de centeno cortada en tiras
⅓ de taza de yogur de leche de coco
2 cdas. de anacardos

ALTERNATIVA CRUDÍVORA

Sustituir el yogur por yogur de anacardos (página 29) y el pan por avena remojada

Frambuesas, manzana, copos de maíz y pistachos

INGREDIENTES

⅓ de taza de copos de maíz
puré de plátano y limón (página 26)
1 manzana pequeña troceada
un puñado de frambuesas
1 cda. de pistachos

puré de plátano y limón (página 26)

ALTERNATIVA VEGETARIANA
Añadir 1 cda. de yogur natural

Arándanos, sandía, copos de salvado y pistachos

INGREDIENTES

⅓ de taza de copos de salvado

1 tajada pequeña de sandía sin pepitas y troceada

un puñado de arándanos

⅓ de taza de gachas de avena preparadas con leche de almendras (página 16)

1 cda. de pistachos

ALTERNATIVA VEGETARIANA SALADA

Sustituir la leche de almendras por agua y añadir 30 g de queso feta

Papaya, piña, quinoa y pipas de calabaza

INGREDIENTES

⅓ de taza de quinoa tostada

½ papaya sin pepitas y 1 rodaja pequeña de piña troceadas

2 cdas. de crema agria de cáñamo (2 cdas. de semillas de cáñamo peladas y trituradas, 1 cda. de zumo de limón y 1 cda. de agua)

1 cda. de pipas de calabaza

ALTERNATIVA VEGETARIANA

Sustituir la crema agria de cáñamo por yogur natural

Pomelo blanco, papaya, cuscús y pistachos

INGREDIENTES

50 g (⅓ de taza) de cuscús cocido
½ papaya sin pepitas y troceada
½ pomelo blanco troceado
1 cda. de pistachos
1 cdta. de pétalos de rosa secos
1 cdta. de polen de abejas

ALTERNATIVA VEGANA

Sustituir el polen por 1 cda. de yogur de leche de coco

Grosellas negras, melón, avena y semillas de cáñamo

INGREDIENTES

⅓ de taza de avena remojada durante toda la noche en ⅓ de taza
    de leche de almendras y 1 cdta. de crema de almendras
1 tajada de melón cantalupo troceada
un puñado de grosellas negras
1 cda. de semillas de cáñamo peladas

ALTERNATIVA VEGETARIANA

Añadir 2 cdas. de nata
fresca *(crème fraîche)*

Piña, arándanos, cereales y pistachos

INGREDIENTES

⅓ de taza de copos de cereales sin gluten
1 rodaja pequeña de piña troceada
un puñado de arándanos
2 cdas. de yogur natural
1 cda. de pistachos

ALTERNATIVA VEGANA

Sustituir el yogur natural por puré de plátano y limón (página 26)

Sandía, albaricoque, copos de salvado y semillas de chía

INGREDIENTES

⅓ de taza de copos de salvado
1 tajada pequeña de sandía sin pepitas y troceada
1 albaricoque troceado
2 cdas. de yogur natural
1 cdta. de semillas de chía

ALTERNATIVA VEGANA

Sustituir el yogur natural por yogur de anacardos (página 29)

VEGANA

Fresas, melón, copos de maíz y yogur de anacardos

INGREDIENTES

⅓ de taza de copos de maíz
un puñado de fresas troceadas
1 tajada de melón galia troceada
2 cdas. de yogur de anacardos (página 29)
1 cdta. de semillas de amapola

ALTERNATIVA VEGETARIANA

Sustituir el yogur de anacardos por yogur natural

VEGANA

Kiwi, sandía, muesli de arroz y pipas de calabaza

INGREDIENTES

1 kiwi troceado
1 tajada pequeña de sandía sin pepitas y troceada
2 cdas. de muesli de arroz inflado
2 cdas. de crema de almendras casera (página 29)
1 cdta. de pipas de calabaza

ALTERNATIVA CRUDÍVORA

Sustituir el muesli de arroz inflado por 2 cdas. de avena remojada en 2 cdas. de leche de almendras

Higos, fresas, copos de maíz y pistachos

INGREDIENTES

⅓ de taza de copos de maíz
2 higos troceados
un puñado de fresas troceadas
2 cdas. de yogur natural
1 cda. de pistachos
flores de pensamiento comestibles (opcional)

ALTERNATIVA VEGANA

Sustituir el yogur natural por crema de anacardos (página 29)

Moras, albaricoques, copos de maíz y semillas de lino

INGREDIENTES

⅓ de taza de avena remojada durante toda la noche
   en ⅓ de taza de zumo de manzana
un puñado de moras
3 albaricoques pequeños troceados
1 cdta. de semillas de lino

ALTERNATIVA VEGETARIANA
Añadir 1 cda. de nata fresca *(crème fraîche)*

Papaya, ciruela, gachas de quinoa y semillas de cáñamo

INGREDIENTES

⅓ de taza de gachas de quinoa preparadas con agua (página 16)
½ papaya sin pepitas troceada
1 ciruela troceada
1 cda. de semillas de cáñamo peladas y molidas
    en un robot de cocina
un puñado de hierbabuena fresca
1 cda. de pepitas de cacao

ALTERNATIVA CRUDÍVORA

Sustituir las gachas de quinoa por ⅓ de taza de avena remojada durante toda la noche en ⅓ de taza de zumo de manzana

Melón, sandía, avena y avellanas

INGREDIENTES

⅓ de taza de avena remojada durante toda la noche en ⅓ de
    taza de zumo de manzana con 1 cdta. de jengibre molido
1 tajada pequeña de sandía sin pepitas y troceada
1 tajada de melón galia troceada
un puñado de avellanas

ALTERNATIVA VEGETARIANA

Añadir 2 cdas. de nata
fresca *(crème fraiche)*

Moras, papaya, gachas y semillas de cáñamo

INGREDIENTES

⅓ de taza de gachas de trigo sarraceno preparadas con agua
   y 1 cdta. de aceite de coco (página 16)
½ papaya sin pepitas y troceada
un puñado de moras
1 cda. de semillas de cáñamo peladas

CRUDÍVORA

Sandía, uvas, avena y semillas de cáñamo

INGREDIENTES

¹⁄₃ de taza de avena remojada durante toda la noche en
  ¹⁄₃ de taza de leche de almendras con 1 cdta. de canela molida
1 tajada pequeña de sandía sin pepitas y troceada
un puñado de uvas rojas
1 cda. de semillas de cáñamo descascarilladas

ALTERNATIVA VEGETARIANA
Añadir 2 cdas. de nata fresca *(crème fraîche)*

VEGANA

Alquequenjes, manzana, copos de maíz y avellanas

INGREDIENTES

2 cdas. de copos de maíz
½ manzana troceada
un puñado de alquequenjes o farolillos chinos sin las hojas
2 cdas. de crema de almendras casera (página 29)
1 cda. de avellanas
flores de pensamiento comestibles (opcional)

ALTERNATIVA VEGETARIANA
Sustituir la crema de almendras por nata líquida

Ciruela, frambuesas, cereales y pistachos

INGREDIENTES

2 cdas. de copos de cereales sin gluten
1 ciruela troceada
un puñado de frambuesas
2 cdas. de yogur natural
1 cda. de pistachos

ALTERNATIVA VEGANA

Sustituir el yogur natural por yogur de anacardos (página 29)

Caqui, frambuesas, avena y pipas de calabaza

INGREDIENTES

⅓ de taza de avena remojada durante toda la noche
    en ⅓ de taza de leche de almendras
un puñado de frambuesas
1 caqui pequeño cortado en medias lunas
1 cda. de pipas de calabaza

ALTERNATIVA OMNÍVORA SALADA
Añadir 30 g de chorizo o jamón ahumado

VEGANA

Sandía, moras, copos de salvado y anacardos

INGREDIENTES

¹/₃ de taza de copos de salvado
un puñado de moras
1 tajada de sandía sin pepitas troceada y el zumo que salga
2 cdas. de anacardos

ALTERNATIVA VEGETARIANA

Añadir 2 cdas. de nata fresca (*crème fraîche*)

DULCE

Granada, ciruelas, copos de salvado y semillas de chía

INGREDIENTES

1 cda. de copos de salvado
2 ciruelas troceadas
un puñado de granos de granada
2 cdas. de crema de almendras (página 29)
1 cdta. de semillas de chía
un puñado de estragón fresco

ALTERNATIVA CRUDÍVORA

Sustituir los copos de salvado por avena remojada durante toda la noche en crema de almendras

Moras, melón, avena y semillas de chía

INGREDIENTES

⅓ de taza de avena remojada durante toda la noche
    en ⅓ de taza de zumo de manzana
un puñado de moras
1 tajada de melón galia troceada
1 cdta. de semillas de chía
un par de hojas de hierbabuena fresca

ALTERNATIVA VEGANA
Añadir 1 cda. de almendras tostadas fileteadas

Granada, uvas, quinoa y yogur de leche de coco

INGREDIENTES

2 cdas. de quinoa tostada
un puñado de uvas rojas
2 cdas. de granos de granada
2 cdas. de yogur de leche de coco
un puñado de hierbabuena fresca

ALTERNATIVA VEGETARIANA
Sustituir el yogur de leche de coco por yogur natural

VEGETARIANA

Alquequenjes, ciruela, cereales y pistachos

INGREDIENTES

⅓ de taza de copos de cereales sin gluten
un puñado de alquequenjes o farolillos chinos sin las hojas
1 ciruela troceada
2 cdas. de yogur natural
1 cda. de pistachos

ALTERNATIVA VEGANA

Sustituir el yogur natural por crema de avena o yogur de anacardos (página 29)

Sandía, ciruela, copos de maíz y semillas de chía

INGREDIENTES

⅓ de taza de copos de maíz
1 tajada pequeña de sandía sin pepitas y troceada
1 ciruela troceada
2 cdas. de yogur de anacardos (página 29)
1 cdta. de semillas de chía

ALTERNATIVA VEGETARIANA

Sustituir el yogur de anacardos por nata líquida

Higos, frambuesas, copos de salvado y yogur

INGREDIENTES

⅓ de taza de copos de salvado
2 higos troceados
un puñado de frambuesas
2 cdas. de yogur natural

ALTERNATIVA VEGETARIANA SALADA

Sustituir el yogur por queso fresco y el salvado por pan de centeno

Moras, ciruela, avena y almendras

INGREDIENTES

⅓ de taza de avena remojada durante toda la noche
    en ⅓ de taza de zumo de naranja
un puñado de moras
1 ciruela troceada
2 cdas. de yogur de anacardos (página 29)
2 cdas. de almendras remojadas durante toda la noche en agua

ALTERNATIVA VEGETARIANA

Sustituir el yogur de anacardos por yogur natural

Moras, nectarina, copos de salvado y nueces

INGREDIENTES

¹⁄₃ de taza de copos de salvado
2 cdas. de leche
1 nectarina troceada
un puñado de moras
un puñado de nueces

ALTERNATIVA VEGANA
Sustituir la leche de origen animal por leche de coco

Higos, manzana, avena y pipas de calabaza

INGREDIENTES

⅓ de taza de avena remojada durante toda la noche en ⅓ de taza de zumo de manzana con 1 cdta. de jengibre molido

2 higos troceados

½ manzana en medias lunas

2 cdas. de quinoa tostada

1 cdta. de coco seco en escamas

1 cdta. de pipas de calabaza

ALTERNATIVA VEGETARIANA

Sustituir la avena remojada por ⅓ de taza de gachas preparadas con leche de origen animal (página 16)

Granada, melón, copos de maíz y yogur

INGREDIENTES

1 tajada de melón verde troceada
2 cdas. de granos de granada
⅓ de taza de copos de maíz
2 cdas. de yogur natural
flores de pensamiento comestibles (opcional)

ALTERNATIVA VEGANA

Sustituir el yogur natural por crema de almendras casera (página 29) o crema de avena

Higos, granada, avena y semillas de cáñamo

INGREDIENTES

⅓ de taza de avena remojada durante toda la noche
  en ⅓ de taza de crema de almendras (página 29)
2 cdas. de granos de granada
2 higos troceados
1 cda. de semillas de cáñamo descascarilladas

ALTERNATIVA VEGANA

Sustituir la crema de almendras por leche de soja, de avena o de coco

Manzana, coco, gachas y semillas de chía

INGREDIENTES

⅓ de taza de gachas preparadas con leche de almendras
    (página 16) y 1 cdta. de canela molida
1 manzana pequeña laminada con un pelapatatas
la carne de ¼ de coco fresco en trocitos
1 cdta. de semillas de chía
½ cdta. de polen de abejas

ALTERNATIVA VEGANA

Sustituir el polen de abejas por 2 cdas. de yogur de leche de coco

Coco, plátano, avena y semillas de cáñamo

INGREDIENTES

⅓ de taza de avena remojada durante toda la noche
    en 3 cdas. de yogur natural
1 plátano en rodajas
la carne de ¼ de coco fresco en trocitos
1 cda. de semillas de cáñamo descascarilladas
2 onzas de chocolate negro troceadas

ALTERNATIVA CRUDÍVORA

Sustituir el yogur por crema de almendras casera (página 29) y usar pepitas de chocolate negro sin tostar

Sandía, naranja y pistachos

INGREDIENTES

2 cdas. de yogur de pistachos (página 29)
1 tajada pequeña de sandía sin pepitas y troceada
½ naranja troceada
1 cda. de pistachos
un puñado de hierbabuena fresca

ALTERNATIVA VEGETARIANA

Añadir 2 cdas. de nata fresca *(crème fraîche)*

Coco, naranja sanguina, gachas y semillas de cáñamo

INGREDIENTES

⅓ de taza de gachas preparadas con leche de almendras
    (página 16) y 1 cdta. de jengibre molido
la carne de ¼ de coco fresco troceada
½ naranja sanguina troceada
1 cda. de semillas de cáñamo descascarilladas

ALTERNATIVA VEGETARIANA

Sustituir la leche de almendras por leche de origen animal

Manzana, kiwi, copos de salvado y semillas de chía

INGREDIENTES

un puñado de copos de salvado
puré de aguacate (página 27)
1 manzana pequeña en rodajas
1 kiwi grande en rodajas
1 cdta. de semillas de chía
½ cdta. de polen de abejas y un puñado de hierbabuena fresca

ALTERNATIVA VEGANA

Sustituir el polen de abejas por 2 cdas. de yogur de leche de coco

Coco, kiwi, quinoa y bayas de goji

INGREDIENTES

50 g (⅓ de taza) de quinoa negra cocida
la carne de ¼ de coco fresco troceada
puré de plátano y limón (página 26)
1 kiwi en medias lunas
1 cda. de bayas de goji remojadas durante
    toda la noche en agua

ALTERNATIVA VEGETARIANA

Sustituir el puré de plátano y limón por yogur natural

Coco, papaya, quinoa y cacahuetes

INGREDIENTES

2 cdas. de gachas preparadas con agua (página 16)
    y 1 cdta. de jengibre molido
la carne de ¼ de coco fresco troceada
½ papaya sin pepitas y troceada
2 cdas. de cacahuetes tostados
un puñado de cilantro fresco

ALTERNATIVA CRUDÍVORA
Sustituir las gachas de quinoa por avena remojada en leche de coco y no tostar los cacahuetes

Manzana, naranja, gachas y semillas de chía

INGREDIENTES

⅓ de taza de gachas preparadas con leche de coco
   (página 16) y 1 cdta. de cúrcuma molida
1 manzana pequeña troceada
1 naranja pequeña troceada
2 cdas. de yogur de leche de coco
1 cdta. de semillas de chía

Uvas, manzana, avena y avellanas

INGREDIENTES

⅓ de taza de avena remojada durante toda la noche en ⅓ de
    taza de leche de almendras con 1 cdta. de canela molida
1 manzana pequeña troceada
un puñado de uvas rojas
un puñado de avellanas troceadas

ALTERNATIVA VEGETARIANA
Añadir 30 g de queso
de cabra fresco suave

Pomelo rojo, kiwi, copos de salvado y semillas de chía

INGREDIENTES

⅓ de taza de copos de salvado
1 kiwi troceado
½ pomelo rojo troceado
2 cdas. de yogur natural
1 cdta. de semillas de chía

ALTERNATIVA VEGANA

Sustituir el yogur natural por crema de avena o de soja

VEGANA

Plátano, pomelo, pan de centeno y yogur de anacardos

INGREDIENTES

3 cdas. de yogur de anacardos con sabor a frambuesas (página 29)
1 rebanada de pan de centeno troceada
1 plátano troceado
½ pomelo troceado
pétalos de rosa secos (opcional)
un puñado de hierbabuena fresca

ALTERNATIVA VEGETARIANA

Sustituir el yogur de anacardos por yogur con frambuesas

Pomelo rosa, aguacate, cereales y pistachos

INGREDIENTES

un puñado de copos de cereales sin gluten
½ pomelo rosa troceado
½ aguacate troceado
1 cda. de pistachos
1 cda. de crema de almendras casera (página 29)
flores de pensamiento comestibles (opcional)

ALTERNATIVA VEGETARIANA

Sustituir la crema de almendras por yogur natural

Alquequenjes, pera, avena y semillas de amapola

INGREDIENTES

⅓ de taza de avena remojada durante toda la noche en
    ⅓ de taza de yogur natural y 2 cdas. de zumo de manzana
un puñado de alquequenjes o farolillos chinos sin las hojas
½ pera troceada
1 cdta. de semillas de amapola

ALTERNATIVA VEGANA

Sustituir el yogur natural por leche de almendras

Granada, plátano, muesli y polen de abejas

INGREDIENTES

⅓ de taza de muesli
1 plátano en rodajas
2 cdas. de granos de granada
2 cdas. de yogur natural
1 cdta. de polen de abejas

ALTERNATIVA VEGANA

Sustituir el yogur por yogur de leche de coco o yogur de anacardos (página 29) y omitir el polen

Plátano, kiwi, quinoa y pipas de girasol

VEGANA

INGREDIENTES

2 cdas. de yogur de leche de coco
1 plátano en rodajas
1 kiwi troceado
1 cda. de quinoa tostada
1 cdta. de pipas de girasol
1 cdta. de coco seco en escamas

ALTERNATIVA VEGETARIANA

Sustituir el yogur de leche de coco por yogur natural

Kiwi, naranja, muesli y polen de abejas

INGREDIENTES

2 cdas. de muesli
1 kiwi troceado
½ naranja troceada
2 cdas. de yogur natural
1 cdta. de bayas de goji remojadas en agua durante unos minutos
1 cdta. de polen de abejas

VEGANA

Pomelo rojo, mango, copos de salvado y semillas de chía

INGREDIENTES

2 cdas. de copos de salvado
½ mango pequeño troceado
½ pomelo rojo troceado y el zumo que salga
1 cdta. de semillas de chía
un puñado de hierbabuena fresca

ALTERNATIVA VEGETARIANA
Añadir 2 o 3 cdas. de yogur natural o 30 g de queso de cabra

Caqui, manzana, gachas y nueces

INGREDIENTES

⅓ de taza de gachas preparadas con leche de origen animal
    (página 16) y 1 cdta. de canela molida

½ caqui en medias lunas

½ manzana cortada en juliana

2 cdas. de nueces molidas en un robot de cocina

ALTERNATIVA VEGANA

Sustituir la leche de origen animal por leche de coco

Pomelo rosa, manzana, plátano y semillas de cáñamo

INGREDIENTES

puré de plátano y limón (página 26)
½ pomelo rosa troceado
½ manzana troceada
1 cda. de semillas de cáñamo descascarilladas

ALTERNATIVA VEGANA

Añadir 2 cdas. de yogur de leche de coco

Ciruelas, uvas, copos de maíz y semillas de chía

INGREDIENTES

puré de plátano y limón (página 26)
⅓ de taza de copos de maíz
2 ciruelas pequeñas troceadas
un puñado de uvas rojas
1 cdta. de semillas de chía
unas cuantas hojas de hierbabuena fresca y 1 flor
    de pensamiento comestible (opcional)

ALTERNATIVA CRUDÍVORA

Sustituir los copos de maíz por ⅓ de taza de avena remojada durante toda la noche en ⅓ de taza de zumo de naranja

Pera, pomelo, avena y bayas de goji

INGREDIENTES

⅓ de taza de avena remojada durante toda la noche
    en ⅓ de taza de zumo de naranja

½ pera troceada

½ pomelo troceado

1 cda. de bayas de goji remojadas en agua durante unos minutos

1 cdta. de semillas de sésamo negro y 1 cdta. de miel sin refinar

ALTERNATIVA VEGETARIANA

Añadir 1 cda. de yogur natural

Pera, ciruelas, avena y polen de abejas

INGREDIENTES

2 cdas. de avena remojada durante toda la noche en 3 cdas. de yogur natural con 1 cdta. de jengibre molido

½ pera troceada

2 ciruelas troceadas

1 cdta. de polen de abejas

1 cdta. de semillas de amapola

ALTERNATIVA VEGANA

Omitir el polen de abejas y sustituir el yogur natural por crema de avena o de soja

VEGETARIANA

Manzana, granada, cuscús y pipas de calabaza

INGREDIENTES

50 g (⅓ de taza) de cuscús cocido
1 manzana pequeña troceada
2 cdas. de granos de granada
2 cdas. de yogur natural
1 cda. de pipas de calabaza
1 ramita de hierbabuena fresca

ALTERNATIVA VEGANA

Sustituir el yogur natural por yogur de leche de coco o yogur de anacardos (página 29)

Pera, kiwi, quinoa y semillas de lino

INGREDIENTES

50 g (⅓ de taza) de quinoa negra cocida
½ pera troceada
1 kiwi troceado
1 cda. de bayas de goji remojadas en agua durante
   unos minutos
un puñado de hierbabuena fresca
1 cdta. de semillas de lino

ALTERNATIVA CRUDÍVORA

Sustituir la quinoa por ⅓ de taza de avena remojada durante toda la noche en ⅓ de taza de zumo de manzana

111

VEGANA

Maracuyá, kiwi, copos de salvado y semillas de cáñamo

INGREDIENTES

⅓ de taza de copos de salvado
las semillas de 1 maracuyá
1 kiwi en medias lunas
2 cdas. de crema de avena o de soja (ligeras)
1 cda. de semillas de cáñamo descascarilladas

ALTERNATIVA CRUDÍVORA

Sustituir la crema por crema de almendras casera (página 29) y el salvado por avena remojada en zumo

Kiwi, granada, pan de centeno y nueces

INGREDIENTES

1 rebanada de pan de centeno troceada
2 cdas. de yogur natural
2 cdas. de granos de granada
1 kiwi en medias lunas
un puñado de nueces

ALTERNATIVA VEGANA

Sustituir el yogur natural por crema de avena o de soja o por yogur de leche de coco

VEGANA

Naranja, pera, trigo sarraceno y nueces

INGREDIENTES

50 g (⅓ de taza) de trigo sarraceno cocido
½ pera troceada
½ naranja troceada
un puñado de hierbabuena fresca troceada
1 cdta. de semillas de sésamo negro
2 cdas. de nueces

ALTERNATIVA CRUDÍVORA

Sustituir el trigo sarraceno por ⅓ de taza de avena remojada durante toda la noche en ⅓ de taza de zumo de naranja

Granada, naranja, cuscús y pistachos

INGREDIENTES

50 g (⅓ de taza) de cuscús cocido
1 naranja pequeña troceada
2 cdas. de granos de granada
1 cda. de pistachos
un puñado de ciruelas pasas sin hueso

**ALTERNATIVA
VEGETARIANA**
Añadir 1 cda. de yogur
natural

Granada, piña, avena y semillas de chía

INGREDIENTES

1 cda. de semillas de chía y 1 cda. de avena remojadas
   durante unos minutos en ⅓ de taza de leche de almendras
1 rodaja pequeña de piña troceada
2 cdas. de granos de granada
1 cdta. de semillas de chía
un puñado de hierbabuena fresca

Maracuyá, plátano, quinoa y anacardos

INGREDIENTES

50 g (⅓ de taza) de quinoa negra cocida
1 plátano troceado
las semillas de 1 maracuyá
un puñado de hierbabuena o menta albahacada frescas
1 cda. de anacardos

ALTERNATIVA VEGETARIANA

Añadir 2 cdas. de nata fresca (crème fraîche)

VEGANA

Lichis, kiwi, gachas y semillas de chía

INGREDIENTES

⅓ de taza de gachas preparadas con leche de coco (página 16)
   y 1 cdta. de jengibre molido

4 lichis sin hueso partidos por la mitad

1 kiwi troceado

1 cdta. de semillas de chía

1 cda. de bayas de goji remojadas en agua durante unos minutos

ALTERNATIVA CRUDÍVORA

Sustituir la leche por leche de almendras y remojar la avena durante toda la noche en lugar de cocerla

VEGANA

Piña, coco, quinoa y pistachos

INGREDIENTES

puré de plátano y limón (página 26)
1 rodaja pequeña de piña troceada
la carne de ¼ de coco fresco troceada
1 cda. de pistachos
1 cda. de quinoa tostada

ALTERNATIVA CRUDÍVORA

Sustituir la quinoa
por 1 cda. de
semillas de cáñamo
descascarilladas

Granada, papaya, pan de centeno y polen de abejas

INGREDIENTES

1 rebanada de pan de centeno cortada en cuadraditos
½ papaya troceada
2 cdas. de granos de granada
2 cdas. de yogur natural
1 cdta. de polen de abejas

ALTERNATIVA VEGANA

Sustituir el yogur natural
por crema de avena
o de soja (página 29)
y eliminar el polen
de abejas

Maracuyá, manzana, plátano y bayas de asaí

INGREDIENTES

1 plátano triturado con 50 g (⅓ de taza) de bayas
    de asaí congeladas
½ manzana en trozos pequeños
las semillas de 1 maracuyá
1 cdta. de polen de abejas
1 cda. de anacardos

ALTERNATIVA VEGANA

Omitir el polen de abejas

Caqui, pomelo rojo, avena y semillas de chía

INGREDIENTES

⅓ de taza de avena remojada durante toda la noche
   en 2 cdas. de leche de almendras
½ caqui maduro y ½ pomelo rojo troceados
1 cdta. de semillas de chía
1 cdta. de piel de naranja
1 cdta. de miel sin refinar

ALTERNATIVA VEGANA
Añadir 2 cdas. de yogur de leche de coco y eliminar la miel

VEGANA

Lichis, pera, copos de maíz y avellanas

INGREDIENTES

⅓ de taza de copos de maíz
1 pera troceada
4 lichis sin hueso partidos por la mitad
2 cdas. de avellanas
un puñado de hierbabuena fresca

ALTERNATIVA VEGETARIANA
Añadir 1 cda. de nata líquida o montada

123

Mango, manzana, quinoa y yogur

INGREDIENTES

50 g (⅓ de taza) de quinoa negra cocida
2 cdas. de yogur natural
½ mango troceado
½ manzana cortada en juliana

ALTERNATIVA VEGANA

Sustituir el yogur
natural por crema de
anacardos (página 29)

Mango, maracuyá, copos de maíz y semillas de amapola

INGREDIENTES

puré de plátano y limón (página 26)
⅓ de taza de copos de maíz
las semillas de 1 maracuyá
2 cdas. de coco seco en escamas
½ mango troceado
1 cdta. de semillas de amapola

VEGANA

Lichis, naranja sanguina, avena y semillas de cáñamo

INGREDIENTES

⅓ de taza de avena remojada durante toda la noche en ⅓ de taza
   de zumo de naranja sanguina con 1 cdta. de jengibre molido
4 lichis sin hueso partidos por la mitad
1 naranja sanguina troceada
un puñado de hierbabuena fresca
1 cda. de semillas de cáñamo descascarilladas

ALTERNATIVA VEGETARIANA

Añadir 1 cda. de nata líquida o montada

Lichis, piña, avena y nueces

INGREDIENTES

⅓ de taza de avena remojada durante toda la noche
   en 2 cdas. de yogur natural y 1 cdta. de jengibre molido
4 lichis sin hueso y troceados
1 rodaja pequeña de piña troceada
1 cda. de nueces molidas en un robot de cocina
un puñado de hierbabuena fresca

ALTERNATIVA CRUDÍVORA

Sustituir el yogur natural por yogur de anacardos (página 29)

Mango, coco, copos de salvado y bayas de goji

INGREDIENTES

2 cdas. de copos de salvado
3 cdas. de crema de soja o de avena
la carne de ¼ de coco fresco troceada
½ mango troceado
1 cda. de bayas de goji remojadas en agua durante
    unos minutos

VEGETARIANA

Aguacate, coco, copos de salvado y semillas de chía

INGREDIENTES

⅓ de taza de copos de salvado

2 cdas. de quinoa tostada

2 cdas. de yogur natural mezcladas con las semillas de 1 maracuyá

½ aguacate troceado

un puñado de coco seco en escamas

1 cdta. de semillas de chía

ALTERNATIVA VEGANA

Sustituir el yogur natural por yogur de leche de coco

Salado

Ciruela, melón, trigo sarraceno y queso de cabra

INGREDIENTES

50 g (⅓ de taza) de trigo sarraceno cocido
1 tajada troceada de melón cantalupo o verde
1 ciruela roja troceada
30 g (¼ de taza) de queso de cabra troceado
un puñado de hierbabuena fresca picada
un chorrito de aceite de girasol virgen extra prensado en frío

ALTERNATIVA OMNÍVORA

Añadir 2 lonchas de jamón de Parma

Pera, uvas, pan de centeno y queso azul

INGREDIENTES

1 pera pequeña troceada
un puñado de uvas rojas
30 g (¼ de taza) de queso azul desmenuzado
1 rebanada de pan de centeno cortada en tiras
un puñado de nueces

ALTERNATIVA OMNÍVORA

Sustituir el queso por lomo curado o jamón tipo speck

VEGETARIANA

Moras, higos, pan de centeno y queso de cabra

INGREDIENTES

2 higos troceados
un puñado de moras
30 g (¼ de taza) de queso de cabra desmenuzado
un puñado de almendras remojadas durante toda la noche en agua
1 rebanada de pan de centeno o de masa madre tostada y troceada
un puñado de albahaca fresca

ALTERNATIVA VEGANA

Sustituir el queso de cabra por crema de anacardos (página 29)

Melón, higos, pan de centeno y jamón de Parma

INGREDIENTES

1 rebanada de pan de centeno cortada en tiras
1 tajada troceada de melón galia o verde
2 higos troceados
2 rodajas de jamón de Parma en tiras
un chorrito de aceite de girasol virgen extra prensado en frío

ALTERNATIVA VEGETARIANA

Sustituir el jamón de Parma por queso de cabra o queso fresco salado y consistente

Alquequenjes, uvas, cuscús y queso fresco

INGREDIENTES

50 g (⅓ de taza) de cuscús cocido
un puñado de alquequenjes o farolillos chinos sin las hojas
un puñado de uvas rojas
un puñado de nueces
30 g (¼ de taza) de queso fresco salado y consistente
un chorrito de aceite de girasol virgen extra prensado en frío

**ALTERNATIVA
VEGANA**

Sustituir el queso
fresco salado por 2 cdas.
de yogur de anacardos
(página 29)

Nectarina, higos, pan de masa madre y queso de cabra

INGREDIENTES

1 nectarina blanca troceada
2 higos troceados
30 g (¼ de taza) de queso de cabra troceado
un puñado pequeño de nueces troceadas
1 tostada de pan de masa madre partida por la mitad
un chorrito de aceite de girasol virgen extra prensado en frío

ALTERNATIVA OMNÍVORA

Sustituir el queso por lomo curado o jamón serrano o de Parma

Frambuesas, moras, pan de centeno y queso

INGREDIENTES

1 rebanada de pan de centeno troceada
un puñado de frambuesas
un puñado de moras
2 cdas. de requesón
un puñado de nueces troceadas
un chorrito de aceite de girasol virgen extra prensado en frío

ALTERNATIVA VEGANA DULCE

Sustituir el requesón por yogur de leche de coco

Grosellas negras, albaricoque, cuscús y requesón

INGREDIENTES

50 g (⅓ de taza) de cuscús cocido
un puñado de grosellas negras
1 albaricoque grande troceado
2 cdas. de requesón
1 cda. de semillas de lino y 1 flor de capuchina comestible
   (opcional)
un chorrito de aceite de girasol virgen extra prensado en frío

Granada, pera, gachas y requesón

INGREDIENTES

1 pera pequeña troceada

los granos de ½ granada

½ taza de gachas preparadas con agua y una pizca de sal (página 16)

50 g (¼ de taza) de requesón

1 cdta. de semillas de chía y 1 flor de pensamiento comestible
   (opcional)

ALTERNATIVA CRUDÍVORA

Sustituir el requesón por yogur de anacardos (página 29) y las gachas, por avena remojada en leche de almendras

Frambuesas, uvas, quinoa y queso fresco salado

INGREDIENTES

50 g (⅓ de taza) de quinoa cocida
un puñado de frambuesas
un puñado de uvas rojas
30 g (¼ de taza) de queso fresco salado cortado en láminas
    con un pelapatatas
un puñado de anacardos
un chorrito de aceite de girasol virgen extra prensado en frío

ALTERNATIVA VEGANA DULCE

Sustituir el queso
fresco salado por yogur
de leche de coco

VEGANA

Granada, aguacate, quinoa y semillas de sésamo

INGREDIENTES

80 g (½ taza) de quinoa cocida
½ aguacate troceado
los granos de ½ granada
1 cdta. de semillas de sésamo negro y blanco
unos cuantos pétalos de caléndula comestible (opcional)

ALTERNATIVA VEGETARIANA
Añadir 30 g (¼ de taza) de queso manchego o de cabra troceado

Berenjena, calabacín, cebada y queso feta

INGREDIENTES

45 g (¼ de taza) de cebada perlada cocida
½ berenjena troceada y asada
1 calabacín troceado y asado
30 g (¼ de taza) de queso feta troceado
un puñado de perejil fresco

ALTERNATIVA
OMNÍVORA

Añadir 30 g de chorizo
o jamón ahumado

Moras, uvas, pan de centeno y jamón de Parma

INGREDIENTES

un puñado de moras
un puñado de uvas rojas
2 lonchas de jamón de Parma o de lomo curado cortadas
    en tiras
1 rebanada de pan de centeno cortada en tiras
1 cda. de piñones tostados

ALTERNATIVA VEGETARIANA
Sustituir el jamón por 30 g (¼ de taza) de queso de cabra troceado

Arándanos, aguacate, pan de centeno y queso de cabra

INGREDIENTES

1 aguacate troceado
un puñado de arándanos
30 g (¼ de taza) de queso de cabra troceado
1 rebanada de pan de centeno cortada en tiras

VEGANA

Berenjena, aguacate, gachas y semillas de sésamo

INGREDIENTES

¼ de taza de gachas preparadas con leche de coco (página 16)
½ berenjena troceada y asada
½ aguacate troceado
1 cdta. de semillas de sésamo negro
un puñado de cilantro fresco
una pizca de chile seco en escamas

ALTERNATIVA OMNÍVORA
Añadir 30 g de pollo asado o de gambas peladas cocidas

Granada, berenjena, arroz integral y semillas de sésamo

INGREDIENTES

50 g (¼ de taza) de arroz integral cocido
40 g (¼ de taza) de lentejas verdes o de Puy cocidas
1 cdta. de aceite de sésamo tostado
½ berenjena troceada y asada
los granos de ½ granada
1 cdta. de semillas de sésamo

Naranja sanguina, aguacate, arroz integral y gambas

INGREDIENTES

50 g (¼ de taza) de arroz integral cocido
½ naranja sanguina sin pepitas y troceada
½ aguacate troceado
10-12 gambas de pesca sostenible peladas y cocidas
un puñado de cilantro fresco
un chorrito de aceite de girasol virgen extra prensado en frío

ALTERNATIVA VEGANA

Sustituir las gambas por un puñado de anacardos

Pepino, aguacate, gachas de arroz y salmón ahumado

INGREDIENTES

¼ de taza de gachas de arroz preparadas con agua (página 16)

50 g de pepino pelado y troceado

½ aguacate troceado

2 lonchas troceadas de salmón ahumado

1 cdta. de semillas de sésamo tostadas

1 cdta. de trocitos de alga dulse seca

ALTERNATIVA VEGETARIANA

Sustituir el salmón ahumado por 1 huevo escalfado o duro

Zanahoria, aceitunas, amaranto y queso de cabra

INGREDIENTES

50 g (¼ de taza) de amaranto cocido
1 zanahoria laminada con un pelapatatas
un puñado de aceitunas negras sin hueso
40 g (¼ de taza) de queso de cabra desmenuzado
un puñado de hierbabuena fresca
1 cda. de pistachos

ALTERNATIVA PESCETARIANA
Añadir 50 g de bacalao o trucha escalfados

Berenjena, pimientos, arroz integral y pistachos

INGREDIENTES

50 g (¼ de taza) de arroz integral cocido
¼ de berenjena troceada y asada
½ pimiento morrón rojo y ½ amarillo troceados y asados
2 cdas. de yogur natural
1 cda. de pistachos

ALTERNATIVA OMNÍVORA

Añadir unos trozos pequeños de pollo escalfado

Champiñones, calabacín, alubias y panceta

INGREDIENTES

½ calabacín cortado en juliana o en tiras
50 g (1 taza) de champiñones Portobello troceados y asados
2 cdas. de alubias de careta en conserva
30 g de panceta frita
un puñado de perejil fresco
un chorrito de aceite de oliva virgen extra prensado en frío

ALTERNATIVA VEGANA

Sustituir la panceta por 1 cda. de semillas de sésamo y 1 cda. de hummus

Zanahoria, tomates, trigo sarraceno y sardinas

INGREDIENTES

40 g (¼ de taza) de trigo sarraceno cocido
1 zanahoria laminada con un pelapatatas
un puñado de tomates cherry partidos por la mitad
2 sardinas cocidas
un puñado de perejil fresco
½ aguacate triturado con 1 cda. de zumo de limón y 1 cda. de aceite
1 cdta. de semillas de sésamo negro

ALTERNATIVA OMNÍVORA

Sustituir el pescado
por 30 g de pollo asado
o chorizo

Zanahoria, pimientos, arroz negro y halloumi

INGREDIENTES

40 g (¼ de taza) de arroz negro cocido
1 zanahoria laminada con un pelapatatas
½ pimiento morrón rojo y ½ verde troceados y asados
30 g (¼ de taza) de queso halloumi troceado y a la plancha

ALTERNATIVA OMNÍVORA

Añadir 30 g de beicon o panceta cocinados

Calabacín, judías verdes, pan de centeno y piñones

INGREDIENTES

½ calabacín pequeño cortado en juliana o en tiras
1 rebanada de pan de centeno troceada
un puñado pequeño de judías verdes cocidas al vapor
un puñado de piñones
un chorrito de aceite de oliva virgen extra prensado en frío
unas cuantas hojas de hierbabuena fresca

ALTERNATIVA VEGETARIANA

Añadir 2 cdas. de requesón o queso fresco

CRUDÍVORA

Calabacín, tomates, aguacate y semillas de cáñamo

INGREDIENTES

½ calabacín laminado con un pelapatatas

un puñado de tomates cherry y un puñado de cilantro fresco

½ aguacate triturado con 1 cda. de zumo de limón
    y 1 cda. de aceite

1 cdta. de semillas de cáñamo descascarilladas

un chorrito de aceite de oliva virgen extra prensado en frío

ALTERNATIVA OMNÍVORA

Añadir 30 g de jamón de Parma o ahumado

Calabacín, champiñones, trigo sarraceno y huevo

INGREDIENTES

40 g (¼ de taza) de trigo sarraceno cocido
1 calabacín pequeño en juliana y 1 huevo fritos juntos
    en una sartén
50 g (1 taza) de champiñones Portobello laminados y asados
1 cebolleta troceada
un puñado de hierbabuena fresca y 1 flor de capuchina
    comestible (opcional)

ALTERNATIVA OMNÍVORA
Añadir 50 g de beicon asado

Calabacín, pimiento, cebada y semillas de sésamo

INGREDIENTES

½ calabacín cortado en juliana
45 g (¼ de taza) de cebada perlada cocida
1 pimiento morrón rojo en tiras
1 cdta. de semillas de sésamo negro
1 cebolleta troceada
un chorrito de aceite de oliva virgen extra prensado en frío

ALTERNATIVA PESCETARIANA
Añadir un puñado de gambas de pesca sostenible peladas y cocidas

Zanahoria, pepino, pan de centeno y queso feta

INGREDIENTES

1 zanahoria laminada con un pelapatatas
100 g de pepino pelado y troceado
30 g (¼ de taza) de queso feta desmenuzado
1 rebanada de pan de centeno cortada en tiras
1 cdta. de semillas de amapola
un puñado de albahaca fresca

ALTERNATIVA VEGANA

Sustituir el queso feta por 50 g (⅓ de taza) de garbanzos en conserva o hummus

Pepino, arándanos, pan de centeno y semillas de lino

INGREDIENTES

50 g de pepino troceado
un puñado de arándanos y 2 cdas. de yogur natural
1 rebanada de pan de centeno o de trigo integral cortada en tiras
1 cdta. de semillas de lino
un puñado de hierbabuena fresca y 1 flor de diente
    de león comestible (opcional)

ALTERNATIVA VEGANA

Sustituir el yogur natural por yogur de anacardos (página 29)

Arándanos, higos, pan de centeno y avellanas

INGREDIENTES

⅓ de taza de crema de almendras casera (página 29)
un puñado de arándanos
2 higos troceados
1 rebanada de pan de centeno cortada en tiras
2 cdas. de avellanas
un puñado de hierbabuena fresca

ALTERNATIVA VEGETARIANA
Sustituir la crema de almendras por 30 g (¼ de taza) de queso de cabra troceado

Pepino, aceitunas, picatostes y caballa

INGREDIENTES

50 g de pepino pelado y troceado
un puñado de aceitunas negras sin hueso
½ filete de caballa ahumada
un puñado de picatostes
un puñado de perejil fresco
un chorrito de aceite de oliva virgen extra prensado en frío

ALTERNATIVA VEGETARIANA

Sustituir la caballa por queso feta o halloumi

Calabacín, calabaza, mijo y lentejas

INGREDIENTES

½ calabacín laminado con un pelapatatas
50 g (½ taza) de calabaza almizclera troceada y asada
40 g (¼ de taza) de lentejas verdes o de Puy cocidas
un puñado de hierbabuena fresca
40 g (¼ de taza) de mijo cocido
un chorrito de aceite de oliva virgen extra prensado en frío

ALTERNATIVA VEGETARIANA

Añadir 30 g (¼ de taza) de queso fresco salado o queso de cabra troceado

Pepino, tomates secos, pan y jamón

INGREDIENTES

1 rebanada troceada de pan de centeno o de pan de trigo
   integral tostado
50 g de pepino pelado y troceado
un puñado de tomates secos y 30 g de jamón ahumado troceado
1 cdta. de semillas de sésamo negro
un puñado de perifollo fresco

ALTERNATIVA VEGETARIANA
Sustituir el jamón por mozzarella o requesón

Pepino, tomate, pan de centeno y halloumi

INGREDIENTES

50 g de pepino pelado y troceado
un puñado de tomates cherry partidos por la mitad
30 g (¼ de taza) de queso halloumi troceado y frito
1 rebanada de pan de centeno cortada en tiras
1 cdta. de semillas de sésamo tostadas
un chorrito de aceite de oliva virgen extra prensado en frío
    y hierbabuena fresca

ALTERNATIVA VEGANA

Sustituir el halloumi
por 50 g (⅓ de taza)
de garbanzos en
conserva

Granada, champiñones y garbanzos

INGREDIENTES

50 g (¼ de taza) de amaranto cocido
50 g (1 taza) de champiñones Portobello troceados y fritos
30 g (¼ de taza) de garbanzos en conserva
los granos de ½ granada
unas cuantas hojas de albahaca fresca
un chorrito de aceite de oliva virgen extra prensado en frío

ALTERNATIVA VEGETARIANA
Añadir 2 cdas. de yogur natural

Judías verdes, aguacate, pan de centeno y panceta

INGREDIENTES

un puñado pequeño de judías verdes cocidas al vapor
½ aguacate troceado
30 g de panceta frita
1 rebanada de pan de centeno o de trigo integral tostado
    cortada en tiras
un chorrito de aceite de oliva virgen extra prensado en frío

ALTERNATIVA VEGETARIANA
Sustituir la panceta por queso halloumi

Tomates, berenjena, garbanzos y semillas de sésamo

INGREDIENTES

50 g de berenjena troceada y asada
un puñado de tomates cherry partidos por la mitad
50 g (⅓ de taza) de garbanzos en conserva
1 cdta. de semillas de sésamo
unas cuantas hojas de perejil fresco
un chorrito de aceite de oliva virgen extra prensado en frío

ALTERNATIVA OMNÍVORA
Añadir 30 g de chorizo
o jamón ahumado

VEGETARIANA

Judías verdes, berenjena, quinoa y pecorino

INGREDIENTES

40 g (¼ de taza) de quinoa cocida
½ berenjena pequeña troceada y asada
un puñado pequeño de judías verdes cocidas al vapor
30 g (¼ de taza) de pecorino desmenuzado
un chorrito de aceite de oliva virgen extra prensado en frío

ALTERNATIVA VEGANA

Sustituir el pecorino por 50 g (¼ de taza) de lentejas de Puy cocidas o garbanzos en conserva

Judías, calabaza, trigo sarraceno y queso manchego

INGREDIENTES

40 g (¼ de taza) de trigo sarraceno cocido
50 g (½ taza) de calabaza almizclera troceada y asada
un puñado pequeño de judías verdes cocidas al vapor
30 g (¼ de taza) de queso manchego troceado
1 ramita de albahaca fresca
un chorrito de aceite de oliva virgen extra prensado en frío

ALTERNATIVA OMNÍVORA

Sustituir el queso manchego por pollo asado

Setas, judías verdes, arroz y huevo

INGREDIENTES

40 g (¼ de taza) de arroz negro cocido
50 g (1 taza) de shiitake laminadas y fritas
un puñado pequeño de judías verdes cocidas al vapor
½ aguacate troceado
1 huevo frito
1 cdta. de semillas de sésamo tostadas

ALTERNATIVA OMNÍVORA

Sustituir el huevo por
30 g de pollo asado

Pimiento, pepino, arroz integral y atún

INGREDIENTES

50 g (¼ de taza) de arroz integral cocido
50 g de pepino pelado y troceado
½ pimiento morrón rojo en tiras
30 g de atún en conserva desmenuzado
1 cdta. de alga nori en escamas y 1 cdta. de semillas de amapola
un chorrito de aceite de oliva virgen extra prensado en frío

ALTERNATIVA VEGETARIANA

Sustituir el atún por queso feta o halloumi

Setas, calabaza, trigo sarraceno y semillas de sésamo

INGREDIENTES

40 g (¼ de taza) de trigo sarraceno cocido
50 g (½ taza) de calabaza almizclera troceada y asada
50 g (1 taza) de gírgolas laminadas y fritas
1 cdta. de semillas de sésamo tostadas
unas cuantas hojas de albahaca fresca
un chorrito de aceite de oliva virgen extra prensado en frío

ALTERNATIVA VEGETARIANA
Añadir 1 huevo escalfado o duro

Tomates, judías verdes, pan y requesón

INGREDIENTES

3 tomates cherry troceados
un puñado pequeño de judías verdes cocidas al vapor
2 cdas. de requesón
1 tostada de pan partida por la mitad
2 cdas. de piñones

ALTERNATIVA VEGANA

Sustituir el requesón por tofu o garbanzos en conserva

Champiñones, aguacate, trigo sarraceno y huevo

INGREDIENTES

40 g (¼ de taza) de trigo sarraceno cocido
½ aguacate troceado
50 g (1 taza) de champiñones Portobello laminados y fritos
1 huevo duro partido por la mitad
1 cdta. de semillas de sésamo negro
un chorrito de aceite de oliva virgen extra prensado en frío

ALTERNATIVA VEGANA

Sustituir el huevo por 2 cdas. de garbanzos en conserva o de edamame cocidas al vapor

Tomates, aguacate, pan de centeno y bresaola

INGREDIENTES

un puñado de tomates cherry troceados
un puñado de aceitunas negras kalamata sin hueso y troceadas
½ aguacate en medias lunas
50 g de bresaola troceada
1 rebanada de pan de centeno cortada en tiras
un chorrito de aceite de oliva virgen extra prensado en frío

ALTERNATIVA PESCETARIANA

Sustituir la bresaola por salmón ahumado

Calabacín, aceitunas, alubias y caballa

INGREDIENTES

½ calabacín cortado en juliana o en tiras
un puñado de aceitunas negras sin hueso
2 cdas. de alubias de careta cocidas
1 filete de caballa ahumada desmenuzado
un puñado de perejil fresco
un chorrito de aceite de oliva virgen extra prensado en frío

ALTERNATIVA VEGETARIANA

Sustituir la caballa por queso feta o halloumi

VEGETARIANA

Aceitunas, pimientos, quinoa y queso feta

INGREDIENTES

40 g (¼ de taza) de quinoa cocida
un puñado de aceitunas negras sin hueso
½ pimiento morrón rojo y ½ amarillo troceados y asados
30 g (¼ de taza) de queso feta desmenuzado
un puñado de albahaca fresca
un chorrito de aceite de oliva virgen extra prensado en frío

ALTERNATIVA OMNÍVORA
Añadir 30 g de pollo asado o chorizo

Calabaza, pimiento, quinoa y queso feta

INGREDIENTES

40 g (¼ de taza) de quinoa roja cocida

50 g (½ taza) de calabaza almizclera troceada y asada

1 pimiento morrón rojo troceado y asado

30 g (¼ de taza) de queso feta troceado

un puñado de hierbabuena o menta albahacada frescas

un chorrito de aceite de oliva virgen extra prensado en frío

ALTERNATIVA VEGANA

Sustituir el queso feta por garbanzos en conserva

Tomates, aguacate, arroz y tortilla francesa

INGREDIENTES

3 tomates cherry asados
½ aguacate troceado
1 tortilla francesa pequeña
60 g (⅓ de taza) de arroz blanco cocido
un puñado de cilantro fresco

ALTERNATIVA OMNÍVORA

Sustituir la tortilla
por 30 g de beicon
o panceta fritos

Pimiento, judías verdes, cebada y nueces

INGREDIENTES

45 g (¼ de taza) de cebada perlada cocida
un puñado pequeño de judías verdes cocidas al vapor
½ pimiento morrón rojo en tiras
un puñado de nueces
un chorrito de aceite de oliva virgen extra prensado en frío
unos cuantos pétalos de caléndula comestible (opcional)

ALTERNATIVA VEGETARIANA
Añadir 30 g
(¼ de taza) de queso
manchego troceado

VEGANA

Pimiento, pepino, pan de centeno y hummus

INGREDIENTES

50 g de pepino pelado y troceado
½ pimiento morrón rojo troceado
1 rebanada de pan de centeno cortada en tiras
2 cdas. de hummus y 1 cdta. de semillas de lino tostadas
perejil fresco y un chorrito de aceite de oliva virgen extra
  prensado en frío

ALTERNATIVA OMNÍVORA
Añadir 30 g de jamón de Parma o bresaola

Granada, calabaza, arroz negro y yogur

INGREDIENTES

40 g (¼ de taza) de arroz negro cocido
50 g (½ taza) de calabaza almizclera troceada y asada
los granos de ½ granada
2 cdas. de yogur natural
1 cdta. de piñones
un chorrito de aceite de oliva virgen extra prensado en frío

ALTERNATIVA VEGANA

Sustituir el yogur por garbanzos en conserva

Calabaza, aceitunas, amaranto y jamón ahumado

INGREDIENTES

50 g (¼ de taza) de amaranto cocido

50 g (½ taza) de calabaza almizclera troceada y asada

un puñado de aceitunas kalamata sin hueso y partidas

30 g de jamón ahumado desmenuzado

un puñado de hierbabuena fresca

un chorrito de aceite de oliva virgen extra prensado en frío

ALTERNATIVA PESCETARIANA

Sustituir el jamón ahumado por caballa ahumada

VEGANA

Tomates, pan de centeno, champiñones, y alubias cannellini

INGREDIENTES

un puñado de tomates cherry fritos

50 g (1 taza) de champiñones Portobello laminados y fritos

50 g (⅓ de taza) de alubias cannellini en conserva fritas

1 rebanada de pan de centeno o de trigo integral tostado cortada en tiras

un puñado de perejil fresco

un chorrito de aceite de oliva virgen extra prensado en frío

ALTERNATIVA VEGETARIANA

Añadir 30 g de mozzarella o 1 huevo duro

VEGANA

Aceitunas, aguacate, quinoa y semillas de cáñamo

INGREDIENTES

40 g (¼ de taza) de quinoa roja cocida
½ aguacate troceado
un puñado de aceitunas negras sin hueso
1 cda. de semillas de cáñamo descascarilladas
un puñado de cilantro fresco
un chorrito de aceite de oliva virgen extra prensado en frío

ALTERNATIVA VEGETARIANA

Añadir 2 cdas. de requesón o queso fresco

Pimiento, aguacate, quinoa y tortilla francesa

INGREDIENTES

40 g (¼ de taza) de quinoa negra cocida
1 pimiento morrón rojo en tiras y asado
½ aguacate troceado
1 tortilla francesa pequeña
un puñado de estragón fresco
un chorrito de aceite de oliva virgen extra prensado en frío

ALTERNATIVA OMNÍVORA

Añadir 30 g de jamón ahumado o pollo asado

Índice

*ingrediente sugerido en una «alternativa»

Agradecimientos

Gracias a mi esposa y a mi hijo, que siempre enriquecen mi vida. Gracias a mi familia, que siempre está ahí para apoyarme: mi padre, mi tía y mi tío; ¡son maravillosos!

Gracias a mis parientes de Pesaro y Mirandola, que siempre me demuestran mucho cariño y afecto y me tratan como a un hijo.

Gracias a mi editora, Céline, y a mi agente, Claudia, por haber tenido fe en esta segunda aventura. También quiero expresarle mi gratitud a la gente de Quadrille por su estupenda labor en *Salad Love*.

Gracias a todos los amigos que me apoyan en la vida y siguen mi andadura a través de las redes sociales: son mi segunda voz.

Gracias a todos mis seguidores y simpatizantes, que me dan mucho afecto y aliento para continuar con mi trabajo.